naissance d'un CHATEAU FORT

naissance d'un CHATEAU FORT

DAVID MACAULAY

DEUX COQS D'OR

Adieu au passé.

Texte français
de Roger Hanoune,
maître-assistant
à l'Université de Lille-III.

Dans la même collection :

- naissance d'une cathédrale
- naissance d'une pyramide
- naissance d'une cité romaine
- sous la ville
- la déconstruction ou la mort d'un gratte-ciel
- la civilisation perdue – naissance d'une archéologie
- Versailles – histoire du château des rois

ISBN 2-7192-0068-9

L'édition originale de cet ouvrage a été publiée
en langue anglaise par HOUGHTON MIFFLIN COMPANY,
à Boston, sous le titre CASTLE.

PRÉFACE

Le château de Lord Kevin est imaginaire mais sa conception, les phases de sa construction, son aspect matériel sont inspirés par plusieurs châteaux bâtis lors de la conquête du Pays de Galles entre 1277 et 1305. Leur construction est l'aboutissement de plus de deux siècles d'architecture militaire en Europe et en Terre sainte.

La ville d'Aberwyvern est aussi imaginaire mais sa conception et son aspect matériel sont inspirés par les villes qui furent fondées en liaison avec ces châteaux pendant la même période de 28 ans. Dans ce programme militaire combinant ville et château fort se manifestent bien la supériorité stratégique et l'intelligence indispensables pour la réussite de la conquête.

⚜ ⚜ ⚜ ⚜ ⚜

Le 27 mars 1283, le roi d'Angleterre Édouard Ier nomma Kevin seigneur d'Aberwyvern, riche région du nord-ouest du Pays de Galles, encore insoumise. Certes, ce titre récompensait un loyal serviteur mais, en octroyant ce domaine, le roi avait aussi des raisons importantes. Édouard voulait établir définitivement son autorité sur les Gallois et avait entamé un programme ambitieux et très coûteux de construction de châteaux et de villes dans cette province, à des emplacements stratégiques. Quand c'était possible, il encourageait des seigneurs loyaux comme Kevin à s'engager, à leurs propres frais, dans des entreprises semblables qui cadraient avec son plan d'ensemble.

Le château et la ville étaient conçus comme des instruments de conquête mais chacun avait une fonction précise. Le château et la muraille entourant la ville étaient essentiellement des ouvrages défensifs. Tout leur rôle offensif résidait dans leur position au bord de routes importantes pour le ravitaillement comme pour les communications et, dans une certaine mesure, dans leur aspect menaçant. Leur principale fonction était de protéger la nouvelle ville. Cette dernière, une fois établie et prospère, devait offrir de nombreuses possibilités économiques et sociales, inconnues auparavant, non seulement aux colons anglais, ses premiers occupants, mais en définitive aux Gallois eux-mêmes. En éliminant peu à peu le besoin et le désir de s'affronter militairement, la ville, à la différence du château, devait contribuer à la fois à la conquête et à la pacification.

Pour protéger son nouveau domaine, Lord Kevin prit immédiatement ses dispositions pour bâtir à la fois un château et une ville. Il engagea Jacques de Babbington, ingénieur de grand talent, pour dessiner le projet et diriger les travaux. Le roi Édouard suggéra de choisir un site au bord de la mer, près de l'embouchure de la Wyvern (ce fleuve était un trait d'union d'importance vitale entre les montagnes de l'intérieur et la mer). Après avoir examiné plusieurs possibilités, Maître Jacques et ses collaborateurs choisirent l'emplacement définitif.

Le château devait être bâti sur un promontoire calcaire élevé; il profitait ainsi de la défense naturelle constituée par la rivière et, en même temps, du fait de la hauteur du promontoire, il s'assurait une vue sans obstacle sur la campagne environnante. Maître Jacques plaça la ville en contrebas, à l'endroit où le site du château était accessible depuis la terre : elle devait servir de barrière de ce côté et constituer avec la rivière la première ligne de défense du château.

Outre ses collaborateurs, Maître Jacques avait amené avec lui des terrassiers, des charpentiers, des manœuvres et plusieurs cargaisons de bois et d'outils.

Les charpentiers se mirent immédiatement à la construction de casernements et d'ateliers pour eux-mêmes et pour les soldats qui allaient protéger le site. Ils construisirent aussi une maison, grande mais provisoire, où logeraient Maître Jacques et son équipe, aussi bien que Lord Kevin et sa famille qui étaient attendus au cours du mois suivant.

Une fois établi le périmètre approximatif de la ville, les terrassiers creusèrent un large fossé tout autour de la zone; en arrière, les charpentiers élevèrent une solide palissade pour protéger le site jusqu'à la construction d'une muraille permanente en pierre.

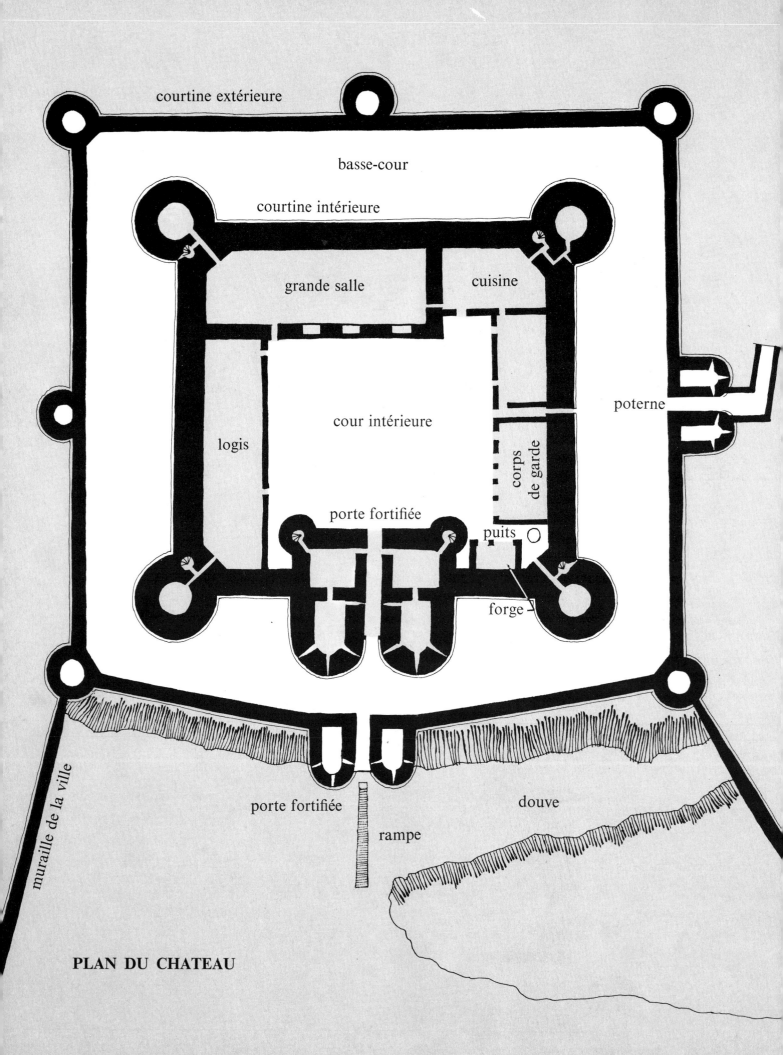

courtine extérieure

basse-cour

courtine intérieure

grande salle

cuisine

poterne

cour intérieure

logis

corps de garde

porte fortifiée

puits

forge

muraille de la ville

porte fortifiée

douve

rampe

PLAN DU CHATEAU

BIBLIOTHÈQUE DU LIVRE D'OR

VERSAILLES
23 x 31 – 96 PAGES
Code IF : 19420
Code DCO : 01.50.113

NAISSANCE D'UNE CATHÉDRALE
23 x 31 – 80 PAGES
Code IF : 18567
Code DCO : 01.50.107

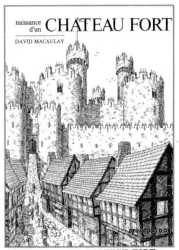

NAISSANCE D'UN CHATEAU-FORT
23 x 31 – 80 PAGES
Code IF : 18566
Code DCO : 01.50.106

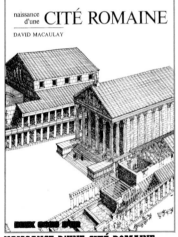

NAISSANCE D'UNE CITÉ ROMAINE
23 x 31 – 112 PAGES
Code IF : 18568
Code DCO : 01.50.108

NAISSANCE D'UNE PYRAMIDE
23 x 31 – 80 PAGES
Code IF : 18569
Code DCO : 01.50.109

LA DÉCONSTRUCTION
23 x 31 – 80 PAGES
Code IF : 18565
Code DCO : 01.50.104

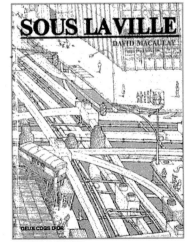

SOUS LA VILLE
23 x 31 – 112 PAGES
Code IF : 18570
Code DCO : 01.50.111

LA CIVILISATION PERDUE
23 x 31 – 96 PAGES
Code IF : 18564
Code DCO : 01.50.103

DEUX COQS D'OR

BIBLIOTHÈQUE DU LIVRE D'OR

VERSAILLES
23 x 31 – 96 PAGES
Code IF : 19420
Code DCO : 01.50.113

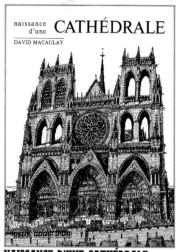

NAISSANCE D'UNE CATHÉDRALE
23 x 31 – 80 PAGES
Code IF : 18567
Code DCO : 01.50.107

NAISSANCE D'UN CHATEAU-FORT
23 x 31 – 80 PAGES
Code IF : 18566
Code DCO : 01.50.106

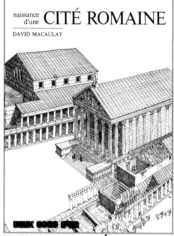

NAISSANCE D'UNE CITÉ ROMAINE
23 x 31 – 112 PAGES
Code IF : 18568
Code DCO : 01.50.108

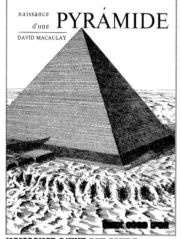

NAISSANCE D'UNE PYRAMIDE
23 x 31 – 80 PAGES
Code IF : 18569
Code DCO : 01.50.109

LA DÉCONSTRUCTION
23 x 31 – 80 PAGES
Code IF : 18565
Code DCO : 01.50.104

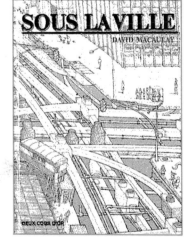

SOUS LA VILLE
23 x 31 – 112 PAGES
Code IF : 18570
Code DCO : 01.50.111

LA CIVILISATION PERDUE
23 x 31 – 96 PAGES
Code IF : 18564
Code DCO : 01.50.103

❦ DEUX COQS D'OR ❦

Dès que ces travaux préalables furent entamés, Maître Jacques et ses collaborateurs se mirent à préparer le plan de l'ensemble, en commençant par le château. Leur principal souci était sa capacité à résister à une attaque directe et à soutenir un siège : cette dernière tactique, de plus en plus répandue et souvent efficace, consistait à entourer le château et la ville, à les couper de l'extérieur et à attendre que les défenseurs, ayant épuisé leurs réserves de nourriture et d'eau, n'aient plus que deux possibilités — également désagréables — : mourir de faim ou se rendre.

Dans son projet de fortification, Maître Jacques fit appel à plusieurs solutions utilisées dans d'autres châteaux où il avait travaillé comme assistant de l'architecte. La disposition du château consistait en une série d'enceintes concentriques de plus en plus petites et de plus en plus fortes.

L'espace central ou cour du château était entouré par une haute muraille, la courtine intérieure; à l'extérieur de cette dernière se trouvait la basse-cour, elle-même entourée par une muraille plus basse, la courtine extérieure. Les deux murailles étaient flanquées de tours rondes qui permettaient aux soldats de surveiller tout le périmètre du bâtiment.

Dans chaque muraille, une large entrée était protégée par deux tours en forme de U, de part et d'autre d'un passage défendu par une combinaison de ponts, de portes et de barrières. L'ensemble constituait une porte fortifiée. Une autre, plus petite, sur un des côtés de l'enceinte extérieure, protégeait la poterne (cette petite porte menait à un chemin fortifié qui descendait la falaise vers la rivière).

Le château devait abriter Lord Kevin, sa famille et ses gens quand ils étaient dans le Pays de Galles et servir de résidence permanente à l'intendant, sa famille et ses gens, ainsi qu'à une garnison.

Les tours de la courtine intérieure étaient occupées par les appartements du seigneur et de l'intendant, par une chapelle, des pièces de service et un cachot. Les autres habitants du château vivaient et travaillaient dans les bâtiments de la cour intérieure.

Maître Jacques, qui pensait à la possibilité d'un siège, plaça le puits à l'abri, dans la cour intérieure : ce qui réduisait le danger de voir l'eau du château empoisonnée par l'ennemi qui se serait ainsi assuré la victoire. Il plaça aussi dans le château des réserves à nourriture, dont certaines étaient remplies en permanence.

La courtine extérieure, qui mesurait environ 90 m de côté, devait avoir 6 m de hauteur et 2,40 m d'épaisseur; les murs des tours devaient avoir la même épaisseur, avec 3 m de plus en hauteur pour permettre de bien voir la muraille de chaque côté. La courtine intérieure, d'environ 60 m de côté, devait avoir.

courtine intérieure

10,5 m de hauteur et 3,60 d'épaisseur, avec des tours de 15 m de hauteur. De cette courtine plus haute, les soldats pouvaient tirer par-dessus la courtine extérieure, en renforçant ainsi la garde de cette dernière.

Les tours et le sommet des murailles étaient reliés par des chemins de ronde qui permettaient aux soldats de passer immédiatement d'un point de la muraille à un autre en cas d'attaque. Le chemin de ronde de la courtine extérieure était desservi par des escaliers placés au revers de la muraille, celui de la courtine intérieure par l'escalier en spirale construit dans chaque tour. Sur le chemin de ronde, les soldats étaient protégés par un étroit parapet, construit sur son bord externe.

Les deux courtines et les tours étaient strictement verticales, sauf au bas de leur face externe où les murs s'élevaient en oblique; cette pente de la base de la muraille, le talus, jouait un double rôle : d'abord elle renforçait la construction; ensuite elle réalisait une surface sur laquelle les pierres et les autres projectiles lancés du haut des murailles pouvaient rebondir vers l'ennemi.

courtine extérieure

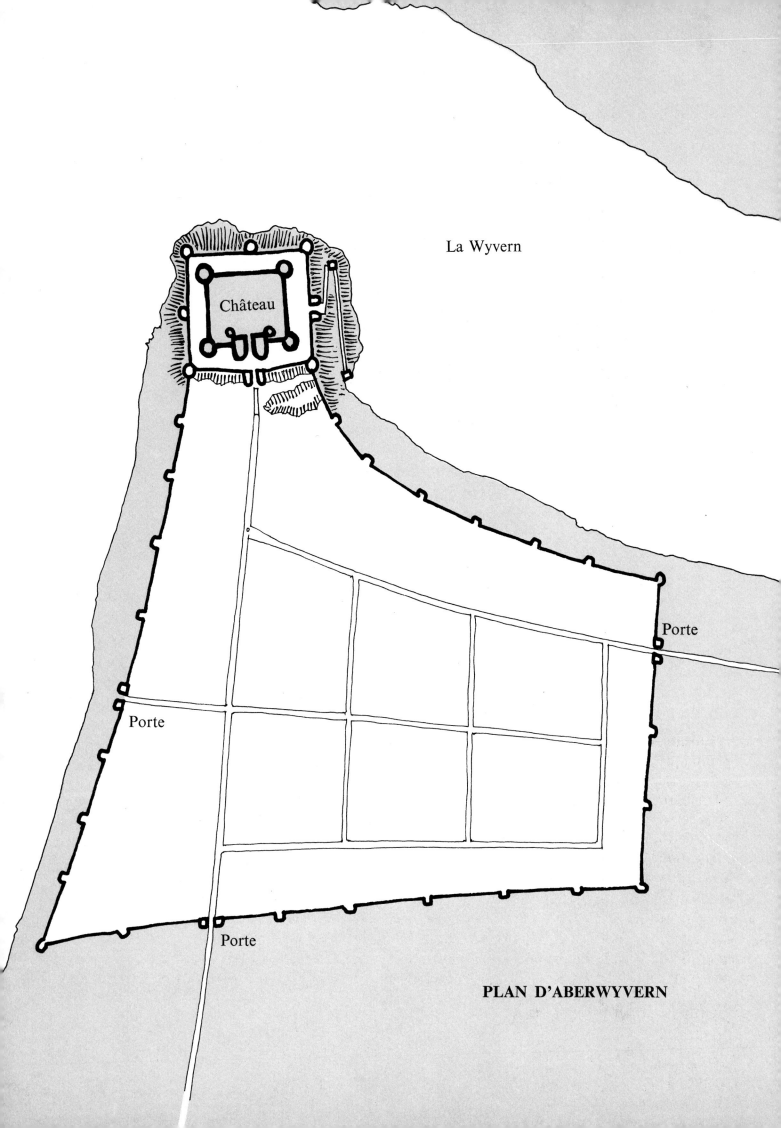

La Wyvern

Château

Porte

Porte

Porte

PLAN D'ABERWYVERN

Ensuite on traça le plan de la ville, qui était d'ailleurs beaucoup moins compliqué. Le site fut simplement divisé en quartiers par un réseau de rues et les quartiers en parcelles. Sur chaque parcelle ou fraction de parcelle, un colon allait bâtir sa maison, soigner son bétail et faire un peu de culture. Au début, on ne devait autoriser que des Anglais à vivre en ville et on les y encouragerait en leur promettant des redevances modiques.

La muraille avait pour seul but de protéger la ville et son tracé n'obéissait donc qu'à des considérations militaires. Elle devait avoir 6 m de hauteur et près de 1,70 m d'épaisseur; elle serait renforcée par des tours en forme de U qui feraient saillie tous les 45 m. On ménagerait un chemin de ronde crénelé, sauf au contact de la courtine extérieure du château (en ce point de jonction, la muraille de la ville ne devait pas permettre d'accéder facilement dans le château). Des portes flanquées de deux tours devaient fortifier les trois entrées de la ville.

Avant même d'avoir fini les plans, Maître Jacques commença à engager la main-d'œuvre : il s'adressa aux gouverneurs de plusieurs villes d'Angleterre en indiquant le nombre et la qualification des ouvriers recherchés. Quand l'entreprise battrait son plein, elle pourrait demander plus de 3 000 travailleurs :

Maître Jacques

carriers

maître maçon

charpentiers

carriers, maçons, gâcheurs de mortier, charpentiers, forgerons, plombiers, terrassiers et des manœuvres. Chaque corps de métier était dirigé par un ou plusieurs contremaîtres qui, à leur tour, étaient responsables devant Maître Jacques.

forgeron

gâcheur de mortier et son aide

terrassiers

le chien de Maître Jacques

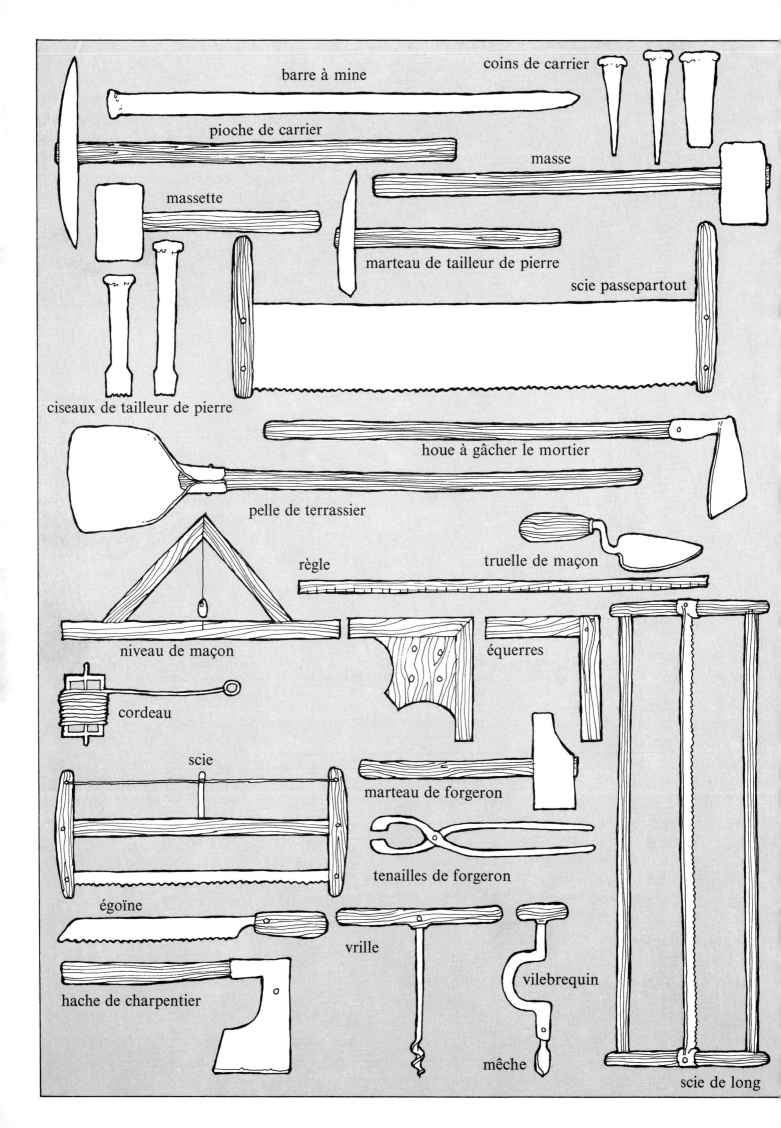

barre à mine

coins de carrier

pioche de carrier

masse

massette

marteau de tailleur de pierre

scie passepartout

ciseaux de tailleur de pierre

houe à gâcher le mortier

pelle de terrassier

truelle de maçon

règle

niveau de maçon

équerres

cordeau

scie

marteau de forgeron

tenailles de forgeron

égoïne

vrille

vilebrequin

hache de charpentier

mêche

scie de long

En même temps qu'il préparait le travail des ouvriers, il commandait des outils en grande quantité : beaucoup étaient en fer, pour le travail de la pierre comme du bois, et pouvaient être réparés chez un des forgerons.

Le plan fut approuvé peu après l'arrivée de Lord Kevin et, le 8 juin 1283, Maître Jacques et les arpenteurs commencèrent à matérialiser sur le terrain l'emplacement des murs principaux et des tours. A cause de sa position sur un promontoire rocheux, le château n'avait pas besoin de fondations spéciales et les ouvriers commencèrent par niveler grossièrement les zones qui allaient être bâties.

Au contraire, la muraille de la ville ne s'appuyait pas partout sur le roc et certains tronçons avaient besoin de profondes fondations pour réduire les risques d'affaissement; un grand nombre de terrassiers fut affecté au creusement de ces fondations, le long du fossé de la ville, du côté interne.

Un autre groupe fut chargé de creuser le puits et de tailler une tranchée ou douve en travers du promontoire, du côté de la terre, ce qui rendrait le château moins accessible du côté de la ville et donc plus sûr.

Tandis que Maître Jacques dirigeait la mise au point du projet, Lord Kevin commençait à collecter des fonds pour le financer. Une partie de l'argent devait provenir des redevances et impôts payés par les paysans de la région qui étaient automatiquement devenus les fermiers de Lord Kevin quand il avait reçu la seigneurie d'Aberwyvern. Pour qu'il n'y ait pas d'erreurs dans la perception, le bailli du seigneur, Walter d'Ipswich, fut envoyé dans la campagne avec des soldats pour recenser les gens et leurs biens. Le reste de l'argent devait provenir soit de la vente du bétail et des récoltes dans les domaines anglais et gallois de Kevin, soit directement de sa fortune personnelle.

A la mi-juillet étaient arrivés les premiers charrois amenant du grès en provenance d'une carrière voisine. On attaqua en même temps la courtine extérieure et les fondations de la muraille de la ville. Le mortier qui servait à lier les pierres était un mélange de chaux, de sable et d'eau. On commençait par construire les parements interne et externe de chaque mur; les pierres étaient soigneusement ajustées et liées au mortier en formant des assises horizontales. Quand ces deux minces parements s'étaient élevés d'un mètre environ, l'intervalle était complètement rempli de blocage (mélange de cailloux et de mortier). Pendant que les murs s'élevaient, les maîtres maçons vérifiaient sans cesse leur aplomb et leur horizontalité; de temps en temps, on intercalait une assise d'ardoise pour recommencer à bâtir sur une base bien horizontale.

A partir d'une certaine hauteur, il fallut un échafaudage temporaire en bois pour supporter les ouvriers et les matériaux. Il était fait de perches liées entre elles et fixées au mur par des pièces de bois entrant dans des trous (trous de boulins) laissés à dessein entre les pierres. Les trous de boulins, sur le parement externe des murs et des tours, étaient alignés en oblique, ce qui, au moyen de planches clouées sur l'échafaudage, permettait de réaliser des rampes pour tirer ou porter les matériaux lourds. L'échafaudage portait aussi des poulies pour hisser les matériaux plus légers et les outils.

Dès qu'une portion du mur du château ou de la ville avait atteint le niveau du chemin de ronde, on construisait son couronnement avec alternance de parties hautes (merlons) et de parties basses (créneaux). Les merlons contenaient chacun une archère, mince fente verticale à travers laquelle un soldat pouvait tirer ses flèches tout en restant à l'abri. Les créneaux permettaient de jeter des projectiles sur l'ennemi.

Chaque merlon était surmonté de trois pointes ou épis de pierre. Juste sous chaque archère se trouvait un trou carré (trou de hourd) : en temps de guerre, on plaçait dans ces trous des solives pour supporter temporairement une galerie en bois (les hourds) du haut de laquelle on pouvait envoyer avec plus de précision projectiles et flèches vers la base des murs.

Les travaux de construction s'arrêtèrent en décembre parce que le gel risquait de faire éclater le mortier humide. Le sommet des murs inachevés fut protégé par une couche de paille et de fumier, et beaucoup d'ouvriers retournèrent en

Angleterre pour le reste de l'hiver. Les quelques centaines qui restèrent à travailler sous des hangars préparèrent le matériel et les outils nécessaires à la reprise du chantier au printemps.

A la fin du mois de mars suivant, la plupart des ouvriers étaient revenus et le travail reprit exactement là où on s'était arrêté. Dès qu'une longueur suffisante de fondation était achevée, on se mettait à élever la muraille de la ville : Maître Jacques l'avait conçue comme une série de sections indépendantes, mais qui pouvaient communiquer : au niveau du chemin de ronde, en arrière de chaque tour, il y avait une passerelle de bois qui était le seul passage entre deux sections. Si la muraille était envahie en un point, les défenseurs n'avaient qu'à enlever les passerelles à chaque extrémité de la section de mur en cause pour forcer l'ennemi soit à descendre à découvert l'escalier qui s'appuyait sur la face interne du mur, soit à s'en retourner comme il était venu.

Dans les murs du château, il y avait en général deux sortes d'ouvertures, des fenêtres et des archères; derrière chaque ouverture, une embrasure était ménagée dans l'épaisseur du mur. Derrière une archère, l'embrasure avait une forme de coin pour permettre à l'archer de viser aisément dans toutes les directions. Comme les fenêtres étaient la seule source de lumière naturelle, leurs embrasures avaient souvent la taille d'une petite pièce avec des sièges maçonnés dans

le mur de part et d'autre de la fenêtre. Pour des raisons de sécurité, les fenêtres proches de la base des murailles et des tours étaient très étroites tandis que celles qui étaient au sommet étaient très larges.

Toutes les fenêtres étaient protégées par des grilles de fer et pouvaient être fermées par des volets de bois. Dans les pièces d'habitation, elles recevaient aussi des vitres.

Le travail avança sans interruption tout l'été et l'automne et, à la fin du chantier de 1284, plusieurs tours et les sections contiguës de la muraille de la ville avaient atteint le niveau du chemin de ronde.

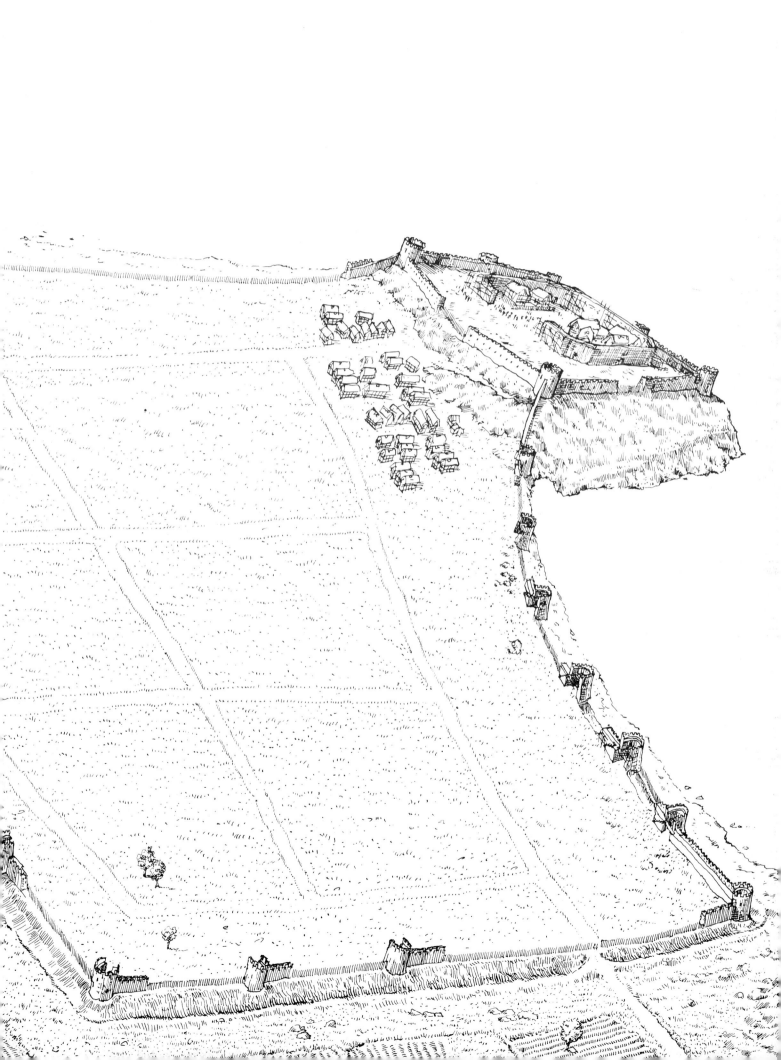

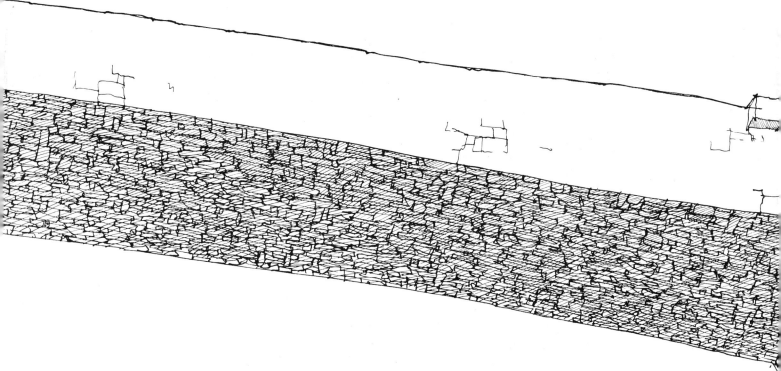

Au mois de mars suivant, une centaine de maçons supplémentaires s'ajouta aux ouvriers qui revenaient pour accélérer la construction de la courtine intérieure et de ses tours. Pour augmenter la puissance défensive de cette enceinte déjà massive, Maître Jacques avait conçu ses tours de telle sorte que chacune forme un tout qui puisse être défendu indépendamment du reste de l'enceinte. Chaque tour n'avait que deux entrées : la première, en bas, donnait dans la cour intérieure; la seconde, au sommet, ne communiquait qu'avec le chemin de ronde; au cas où la cour aurait été envahie, les deux ouvertures pouvaient être condamnées par de lourdes portes en bois.

Chaque tour contenait trois salles superposées reliées par un escalier en spirale bâti dans l'épaisseur du mur de la tour. Cet escalier dépassait le niveau du chemin de ronde de la tour pour atteindre le sommet d'une tourelle.

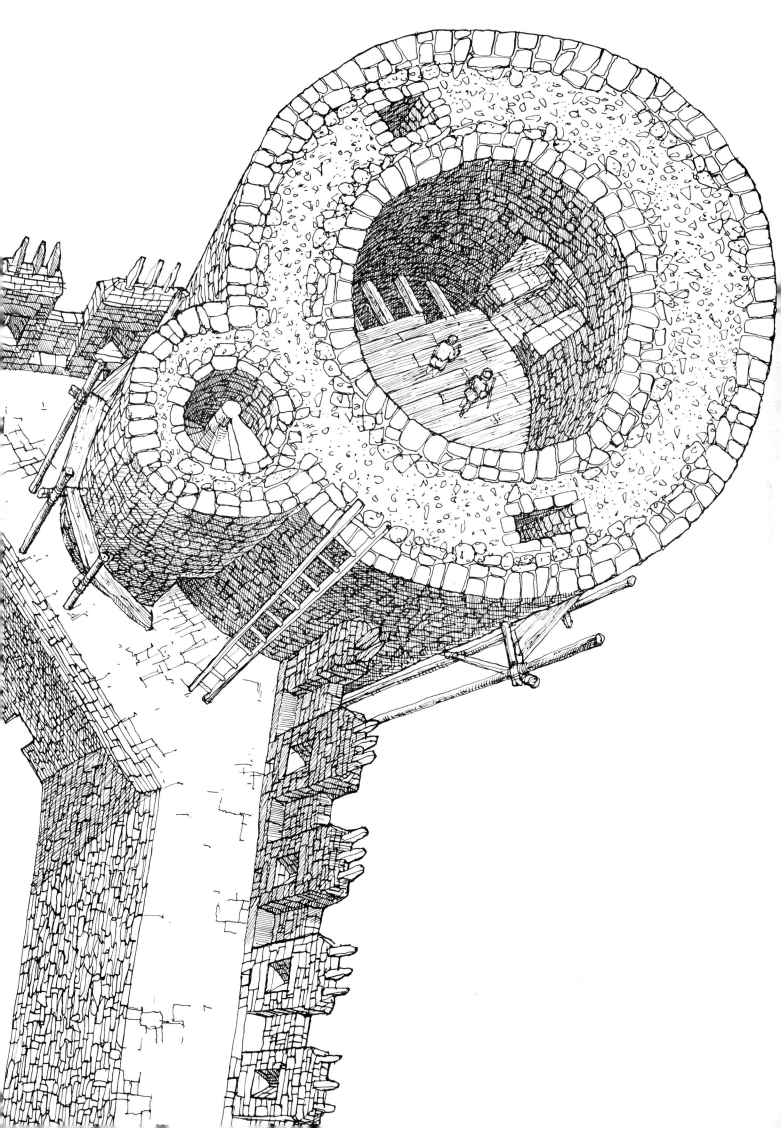

La salle du rez-de-chaussée servait en général à stocker des vivres qui permettraient à la tour de se suffire à elle-même en cas de siège. Les autres salles servaient soit au travail soit à l'habitation. Le sol du rez-de-chaussée était le roc lui-même; le sol des autres pièces était fait de planches de bois clouées sur de grosses poutres de chêne allant d'un mur à l'autre de la tour à la hauteur voulue. Les poutres pouvaient être encastrées dans le mur dès la construction ou portées par des pierres en saillie (corbeaux).

La tour était surmontée d'une toiture couverte en feuilles de plomb ou en ardoises sur une charpente conique dont les solives s'encastraient dans une rainure, sur le bord interne du chemin de ronde.

Une fois la construction hors d'eau, on acheva les salles du dessous. Elles étaient chauffées par des cheminées qui avaient été ménagées dans les murs pendant la construction, de même que les conduits de cheminées qui évacuaient la fumée jusqu'au sommet de la tour.

Pendant le jour, les fenêtres fournissaient presque tout l'éclairage; la nuit, la lueur du foyer était renforcée par des lampes à huile et des chandelles qui étaient en général placées sur des consoles insérées dans le mur tout autour de la salle. Les murs étaient couverts d'une épaisse couche d'enduit et ornés de peinture, de tentures de toile peinte, ou des deux. Les sols, y compris au rez-de-chaussée, étaient couverts de joncs et d'herbes odorantes qui étaient balayés et remplacés chaque mois.

En octobre 1285, la courtine extérieure, à l'exception des portes, était achevée et les maçons se consacraient pour la plupart à la construction des deux dernières tours d'angle intérieures.

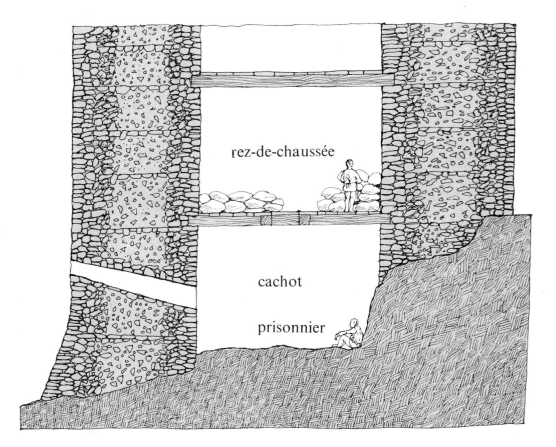

Dans une des tours, construite à un endroit où le sol était légèrement plus bas que celui de la cour intérieure, on creusa dans le roc une salle sous le rez-de-chaussée pour servir de cachot. On ne pouvait y accéder que par une trappe dans le plancher du rez-de-chaussée. Seule une mince fente dans l'épaisseur du mur éclairait le cachot.

Une seule tour différait complètement des autres : celle de la chapelle. Au lieu d'avoir deux salles au-dessus du rez-de-chaussée, elle n'en avait qu'une, haute de deux étages. L'abside qui abritait l'autel de la chapelle tenait dans la niche d'une grande fenêtre; les fenêtres furent garnies de vitraux de couleur. De l'autre côté de la chapelle, dans l'axe de l'abside, une deuxième niche fut aménagée dans le mur de la tour, mais au niveau du deuxième étage seulement; c'est de cette tribune que Lord Kevin et sa famille assisteraient aux cérémonies tandis que le reste des fidèles devait rester debout sur le plancher de la chapelle.

latrine

fosse

latrine

Les nombreuses latrines du château étaient situées dans les courtines et desservies par d'étroits passages. Elles étaient éclairées par une petite fenêtre ou une archère. Le siège consistait simplement en une dalle de pierre percée d'un trou rond. Sur la courtine extérieure, le siège était placé sur deux corbeaux

et dépassait l'aplomb de la muraille. Les latrines de la courtine intérieure étaient souvent groupées au-dessus de conduits verticaux ménagés dans le mur ou plaqués contre lui; ces derniers débouchaient au pied du mur dans une fosse qu'il fallait vidanger périodiquement.

Coupe d'une porte fortifiée de la ville

Les dernières constructions importantes dans les fortifications du château et de la ville furent les portes. Elles furent conçues et bâties avec le plus grand soin car c'étaient les parties les plus vulnérables de la muraille.

Entre les deux tours de chaque porte, une succession d'arcs en pierre soutenait une salle placée au-dessus de la route. Depuis cette salle on pouvait abaisser une lourde grille de bois, la herse, pour bloquer le passage. La herse coulissait dans des rainures taillées dans le mur. L'extrémité de chaque poutre verticale de la herse était taillée en pointe et ferrée; pour plus de solidité, la herse était aussi plaquée de fer à l'extérieur. D'épaisses portes de bois, elles aussi renforcées de ferrures, faisaient suite à la herse. Les battants pouvaient être bloqués par une lourde poutre ou barre qui passait à travers la muraille, au rez-de-chaussée, et venait s'encastrer dans un trou de la muraille opposée. Des archères ménagées dans le rez-de-chaussée des tours permettaient de surveiller complètement les abords de l'entrée.

Si des ennemis étaient assez imprudents pour se faire prendre dans la zone qui séparait les tours, ils recevaient une grêle de projectiles variés et de flèches lancés par les ouvertures du plancher au-dessus d'eux.

A la fin de 1286, la muraille de la ville était à peu près finie. Comme la ville était plus sûre, sa population augmenta : outre les paysans qui cultivaient la campagne environnante, beaucoup de marchands et d'artisans avec leurs familles vinrent s'installer à Aberwyvern. Ils serrèrent leurs maisons pour conserver le plus possible de pâturages et de champs à l'intérieur des murailles. Il n'y avait pas de trottoirs et les façades s'alignaient le long des rues sans pavés. Les premières maisons étaient groupées près du puits; par la suite, elles se répandirent le long de toutes les rues.

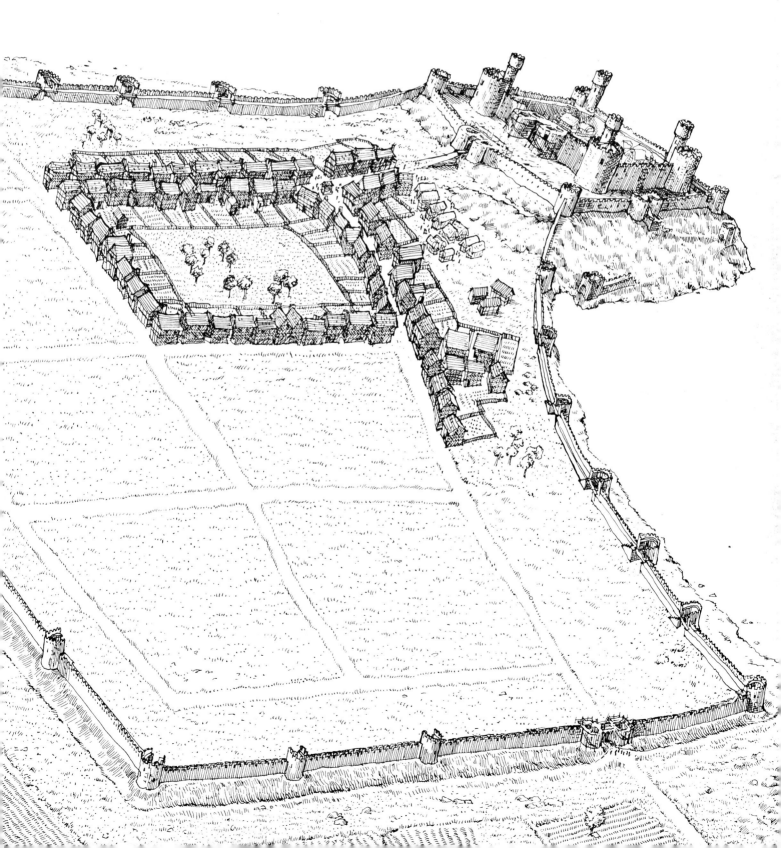

Toutes les maisons étaient construites en pan de bois, c'est-à-dire qu'il y avait une armature de poutres, généralement en chêne : les intervalles étaient remplis au moyen d'un lattis de tiges et de joncs, et de torchis pour le rendre plus solide et boucher les trous. Les toits étaient couverts d'ardoises ou de bardeaux de bois. Au rez-de-chaussée, comme à l'étage, le sol était de terre battue, couverte de jonchée. Un seul foyer fournissait la chaleur et aussi la lumière, car les fenêtres étaient très petites et généralement garnies de peau de chèvre ou de mouton huilée.

La plupart des commerçants d'Aberwyvern, comme Thomas le maître cordonnier ou Olivier le maître drapier, fabriquaient et vendaient leurs marchandises chez eux. Les ateliers et les boutiques étaient placés au rez-de-chaussée du côté de la rue. Le jour, les volets de bois s'ouvraient vers l'extérieur : le battant inférieur s'abaissait et servait de comptoir pour disposer la marchandise tandis que la partie supérieure relevée formait un auvent. Les boutiques qui vendaient des produits de la campagne, du poisson, du vin, étaient souvent à proximité des portes par lesquelles ces denrées étaient amenées.

Quand il y eut plusieurs centaines d'habitants à Aberwyvern, la ville devint officiellement une paroisse et reçut un prêtre.

Peu après son arrivée, ce prêtre commença à diriger la construction d'une église sur une parcelle donnée par Lord Kevin. C'était le seul bâtiment de pierre de la ville, le plus important pour l'architecture comme pour la vie sociale. Les citadins manifestèrent leur gratitude pour cette église en versant de généreuses contributions ou en y travaillant gratuitement, ce qui n'était pas un mince sacrifice pour des gens qui travaillaient sept jours par semaine.

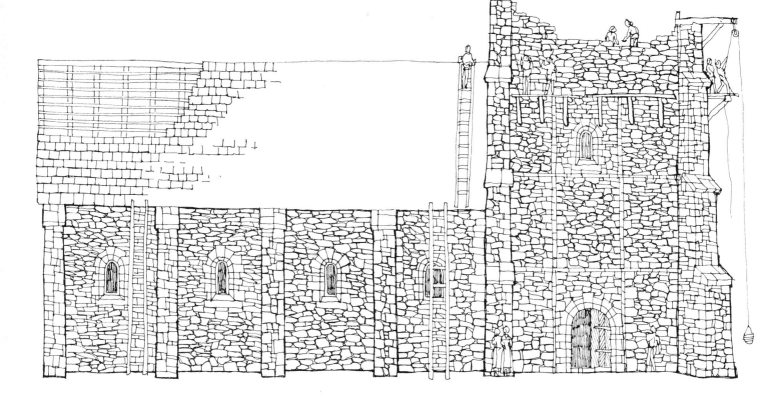

Coupe de la porte extérieure

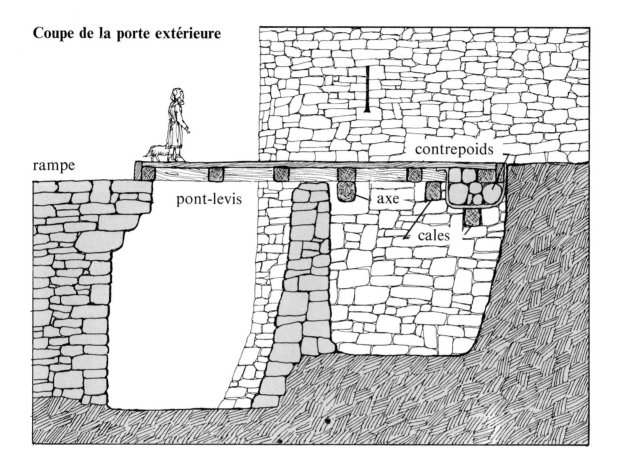

rampe

pont-levis

contrepoids

axe

cales

Pendant l'été 1287, on acheva les portes qui menaient dans le château. La porte intérieure avait deux herses, et deux portes de bois avec deux barres. La porte extérieure était aussi bien aménagée et elle était équipée en plus d'un pont-levis, plateforme en charpente qui était conçue pour basculer autour d'un axe. L'axe était inséré dans des trous à la base de chaque tour, de part et d'autre du passage; le pont était ajusté sur l'axe, une extrémité menant vers la basse-cour, l'autre extrémité franchissant la douve. L'extrémité interne du pont était lestée d'un contrepoids : lorsqu'on enlevait les cales, elle plongeait dans une fosse spéciale qui avait été creusée dans le roc entre les tours. En même temps, l'autre extrémité se relevait et coupait le passage au-dessus de la douve. Pour la rétablir, il fallait de nouveau abaisser le pont-levis et caler le contrepoids.

Le pont-levis reliait le château à l'extrémité d'une rampe de pierre qui s'élevait jusqu'à 7,50 m. Pour entrer dans le château, on était obligé d'emprunter cette rampe, en s'exposant au tir des soldats placés sur les murs.

La poterne qui avait aussi un pont-levis fut achevée à la même date.

Une fois les portes finies, on commença les constructions dans la cour intérieure qui était désormais à l'abri. Le baraquement qui abritait la garnison fut le premier des bâtiments provisoires à être remplacé.

Le nouveau bâtiment, construit en pan de bois, avait un étage et un toit d'ardoises ; l'étage servait de chambrée aux soldats tandis que le rez-de-chaussée se partageait entre écuries et magasins. L'un de ces derniers contenait une grande partie de l'armement qui avait été apporté d'Angleterre. Le forgeron avait son atelier à côté du casernement et se chargeait de toutes les réparations dont les armes avaient besoin.

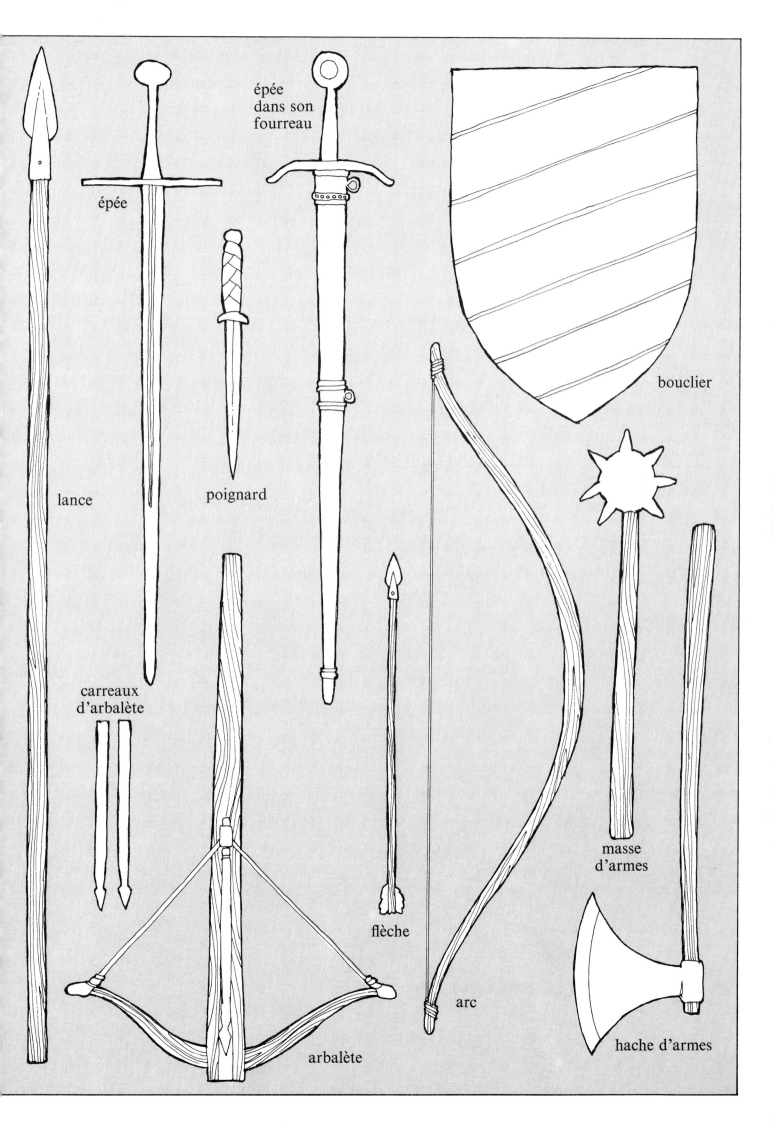

lance

épée

épée dans son fourreau

bouclier

poignard

carreaux d'arbalète

flèche

arc

masse d'armes

arbalète

hache d'armes

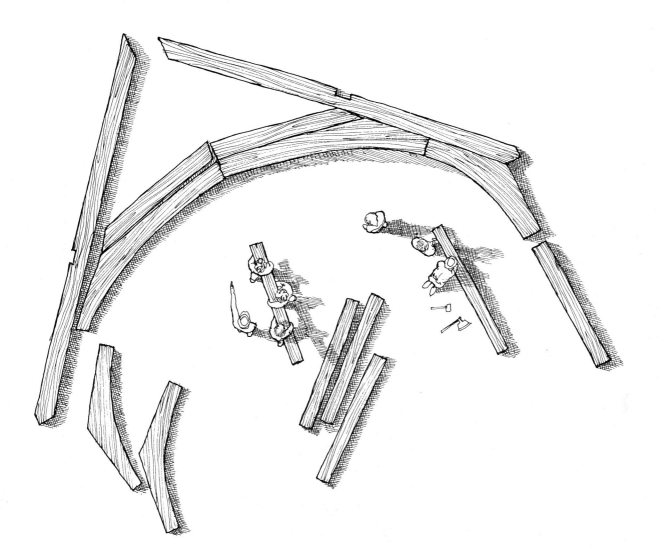

Le plus important des nouveaux bâtiments de la cour allait être la grande salle qui servirait de réfectoire et de lieu de réunion pour toute la population du château; elle devait avoir 10,50 m de largeur sur plus de 30 m de longueur.

Maître Jacques installa la salle dans un angle de la cour intérieure de telle sorte qu'il ne restait que deux murs à construire. Ils furent tous les deux bâtis en pierre et crénelés. Le plus long, parallèle à la courtine arrière, était percé de trois grandes fenêtres et d'une porte. Dans le mur nouveau qui formait le petit côté de la salle étaient ménagés une grande cheminée et un passage vers la cuisine. Il y avait déjà deux autres cheminées construites dans la courtine. Les maçons avaient installé une rangée de consoles dans la courtine arrière à quelque 2,50 m du plancher et on fit de même sur le long mur opposé. Dès que les murs furent finis les charpentiers commencèrent la toiture. Elle devait reposer sur une série de bâtis en bois, les fermes, qui franchiraient toute la largeur de la salle. Pour plus de solidité, chaque ferme était arquée en dessous et pointue au sommet.

D'abord on dressa sur chaque console un poteau de bois et on le fixa au mur. Ensuite les éléments soigneusement taillés de chaque ferme furent assemblés et hissés à leur place, les extrémités reposant sur deux poteaux opposés. Les fermes furent reliées entre elles à leur sommet et recouvertes de planches et de feuilles de plomb. Une fois la toiture bien étanche, les murs intérieurs furent enduits et peints, et les fenêtres reçurent leurs vitres.

Dans l'autre angle arrière de la cour intérieure se trouvait la cuisine. Elle contenait des fours pour cuire le pain, des cheminées spéciales pour rôtir et pour fumer la viande, et une grande réserve pour le vin et les tonneaux de bière. Un grand évier de pierre était aménagé dans la courtine arrière : l'eau y arrivait directement depuis un réservoir placé en haut de la tour d'angle. La toiture reposait sur des poutres encastrées dans la courtine.

Tout autour de la cour, de nouvelles constructions en pan de bois rempla-cèrent finalement les derniers baraquements et ateliers qui dataient de presque 4 ans. Il y avait là plus de place pour Lord Kevin, Lady Catherine et leurs serviteurs, et aussi des chambres pour les invités et la suite du seigneur, dont le bailli Walter, le chapelain Robert et Lionel le barbier-médecin.

Les petites pièces du rez-de-chaussée étaient affectées aux serviteurs, aux ouvriers et au stockage des provisions. Le cuisinier du château, Maître Jean, vivait avec sa famille et ses deux aides dans un petit appartement près de la cuisine. Un autre angle de la cour abritait le chenil et la cage des faucons avec lesquels Lord Kevin chassait. Des chats et des chiens rôdaient librement dans le château : on espérait éviter ainsi la prolifération des rats. Seule une petite partie de la cour était enclose car Lady Catherine avait voulu y planter une pelouse de gazon importé d'Angleterre et des fleurs.

Quand, en octobre 1288, les murs et les tours du château furent finis, toute la construction fut blanchie à la chaux. Elle paraissait ainsi avoir été sculptée dans un seul bloc de pierre colossal : la grande impression de puissance qui s'en dégageait en était encore renforcée.

Au printemps suivant, seule une poignée d'ouvriers revint à Aberwyvern.

Il n'y avait presque plus rien à faire et les artisans qui s'étaient établis en ville pouvaient se charger de l'entretien quotidien du château et de la muraille de la ville. Lady Catherine considéra alors que le château était habitable et, le 29 avril, elle vint, avec dames d'honneur, enfants et serviteurs, rejoindre Lord Kevin dans leur résidence galloise.

Deux ans plus tard, pour favoriser d'autres installations, Lord Kevin octroya une charte à Aberwyvern. Elle dispensait les habitants présents et futurs de certains impôts dont Kevin pouvait se passer, maintenant que le château était fini. Elle leur donnait aussi le droit d'avoir un maire et un conseil municipal, un tribunal pour les délits mineurs et un marché hebdomadaire.

En 1294, le château de Kevin dominait une bourgade florissante sans être encore surpeuplée. En décembre de la même année, le roi Édouard, qui se rendait dans un de ses châteaux, s'y arrêta. Le jour de son arrivée, commerçants et travailleurs chômèrent et toute la population se rangea sur la rive pour voir les bateaux du roi.

Ce soir-là, un dîner fut donné au château; le maire, le conseil municipal, plusieurs gros commerçants étaient invités. Des bannières multicolores pendaient aux murs de la grande salle et le plancher était couvert d'une jonchée toute fraîche. Le roi et ses ministres étaient assis à une longue table avec Lord Kevin et Lady Catherine, sur une estrade placée sur un petit côté de la salle. Les autres invités étaient assis à des tables dressées le long des murs. La cuisine de Maître Jean dispensait à profusion nourriture et boisson tandis que musiciens, acrobates et jongleurs se donnaient en spectacle. Les réjouissances continuèrent jusqu'au petit matin, bien après que le roi se fut retiré.

Mais Édouard n'était pas venu au Pays de Galles pour ces mondanités. Il voulait écraser la révolte de plusieurs princes gallois. Avant de quitter Aberwyvern, il informa Lord Kevin de la situation et lui recommanda de prendre ses précautions. Maître Jacques avait rendu la ville quasiment imprenable : aussi on consacra tous les efforts aux préparatifs de défense contre un siège éventuel. Pendant les quelques mois qui suivirent, on fit de grandes réserves supplémentaires de blé et de nourriture dans tous les endroits possibles en ville et au château, et même dans l'église. On fabriqua des flèches, on prépara les pierres à lancer du haut des murs, et, à titre de précaution supplémentaire, on installa les hourds en haut des murailles et des tours.

A partir du 11 avril 1295, les fortifications de Maître Jacques et les préparatifs de tous les citadins furent mis à l'épreuve. Des centaines de soldats gallois,
sous les ordres du prince Daffyd de Gwynedd, entourèrent la ville, et de nombreux bateaux mouillèrent près du château pour empêcher le ravitaillement ou
la fuite par voie maritime. A la fin de juin, la campagne était ravagée; un
moulin, des granges et plusieurs fermes étaient détruits, mais l'approvisionnement de la ville restait suffisant.

Le prince, qui avait reçu la nouvelle qu'une grande armée anglaise descendait du nord dans le cadre d'une offensive générale pour écraser les révoltés, ordonna de passer à l'attaque. On rassembla un grand nombre de catapultes et on les braqua contre la ville et le château.

Ces lourdes machines de bois comportaient un bras qui pouvait être rabattu en arrière et fortement bandé; une fois libéré, il se relevait avec violence en envoyant toutes sortes de projectiles sur les murs ou par-dessus.

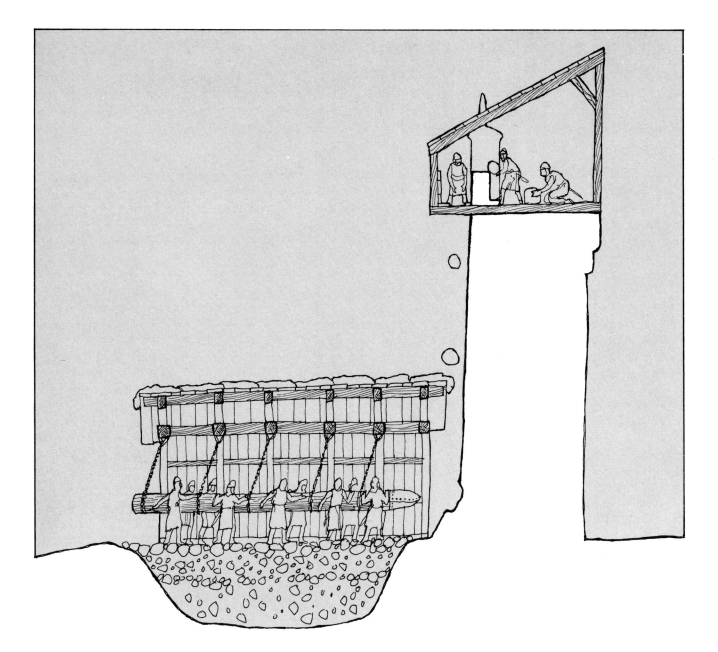

Le Prince Daffyd compléta ce bombardement par des attaques directes contre les murailles. Les soldats gallois mirent à profit l'obscurité pour combler le fossé en divers endroits avec de la terre, des pierres, des rondins. On disposa ensuite au pied de la muraille un abri préfabriqué, couvert de peaux de bêtes et de terre pour diminuer les risques d'incendie dû aux flèches enflammées. Sous cet abri, on suspendit par des chaînes aux poutres de la toiture un gros tronc d'arbre pointu et ferré pour servir de bélier. La pointe était dirigée contre le mur et des soldats mirent en action le bélier avec un mouvement de va-et-vient.

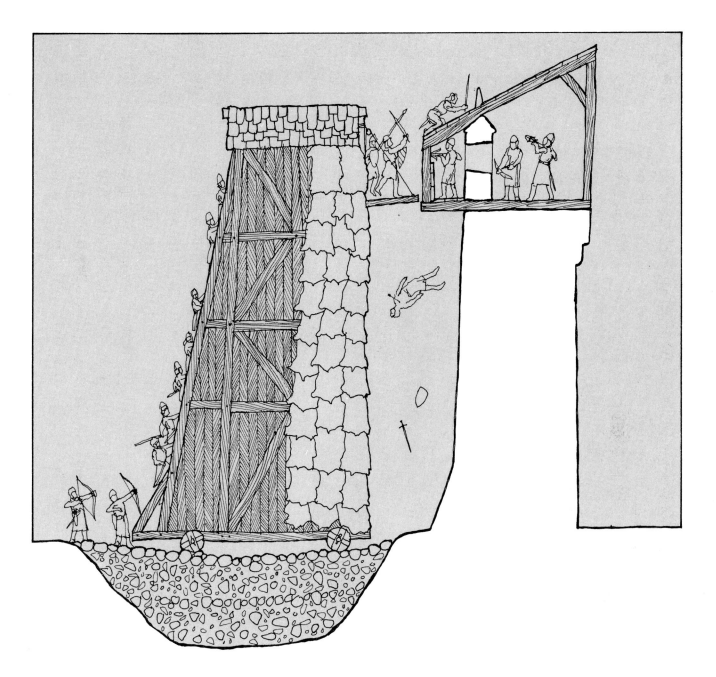

Pendant ce temps, un autre groupe de soldats avait fait rouler une haute construction de bois, ou tour d'assaut, par-dessus le fossé et l'avait mise en position contre les hourds. Puis ils grimpèrent jusqu'à la plate-forme supérieure de la tour ; de là ils abaissèrent un petit pont-levis et tentèrent de passer sur la muraille. Après deux heures d'un violent combat au corps-à-corps, les Gallois durent retirer leur tour à laquelle les défenseurs avaient réussi à mettre le feu.

Pendant près d'une semaine, les murailles furent soumises à des attaques incessantes.

Pendant ce temps, un groupe de sapeurs avait travaillé sans relâche. Leur mission était de creuser un tunnel ou mine sous la muraille. Cette galerie était renforcée par un coffrage de bois. Quand elle serait assez avancée sous la muraille, on devait en provoquer l'écroulement en mettant le feu au coffrage. Les sapeurs travaillaient en se relayant sous la protection d'un abri en bois qui avait été poussé contre la muraille. Ils étaient appuyés par des archers qui se tenaient derrière des écrans mobiles en bois et qui tiraient contre les hourds. Quand le Prince Daffyd reçut la nouvelle que les Anglais n'étaient qu'à quelques jours de marche, il fit mettre le feu à la mine. Elle était remplie de bois sec, de paille; il y avait même des cochons morts dont la graisse allait entretenir le feu, qui fit rage pendant des heures tandis que les défenseurs déversaient désespérément de l'eau. A la fin, il fut évident pour les deux camps que la muraille était trop puissante pour s'écrouler. Craignant non seulement d'être battu mais même anéanti, le prince donna l'ordre de la retraite.

Les fortifications de Maître Jacques avaient bien joué leur rôle mais le roi Édouard avait tout de suite compris que le peuple gallois ne serait jamais conquis par des soldats ou des châteaux, quel que soit leur nombre. Il fallait les encourager à abandonner le combat d'eux-mêmes.

Dans les mois qui suivirent le soulèvement, plusieurs familles galloises des environs, qui étaient lasses du carnage et qui désiraient partager les avantages évidents d'Aberwyvern, furent encouragées à s'installer le long des routes qui menaient aux portes. Les jours de marché ou de foire, on les laissait entrer pour vendre leurs productions et acheter celles de la ville. Avec le temps, cette population s'accrut et des bâtiments de toute sorte s'élevèrent hors des murs. A la fin, tout un réseau de rues et de venelles entoura les murailles et Aberwyvern devint une ville à l'intérieur d'une ville. La « conquête » du Pays de Galles ne fut achevée que lorsque les Gallois comme les Anglais purent entrer librement dans des villes comme Aberwyvern pour y construire côte-à-côte leurs maisons tout en respectant leurs traditions. Ainsi la victoire du roi Édouard ne fut complète que deux siècles au moins après sa mort.

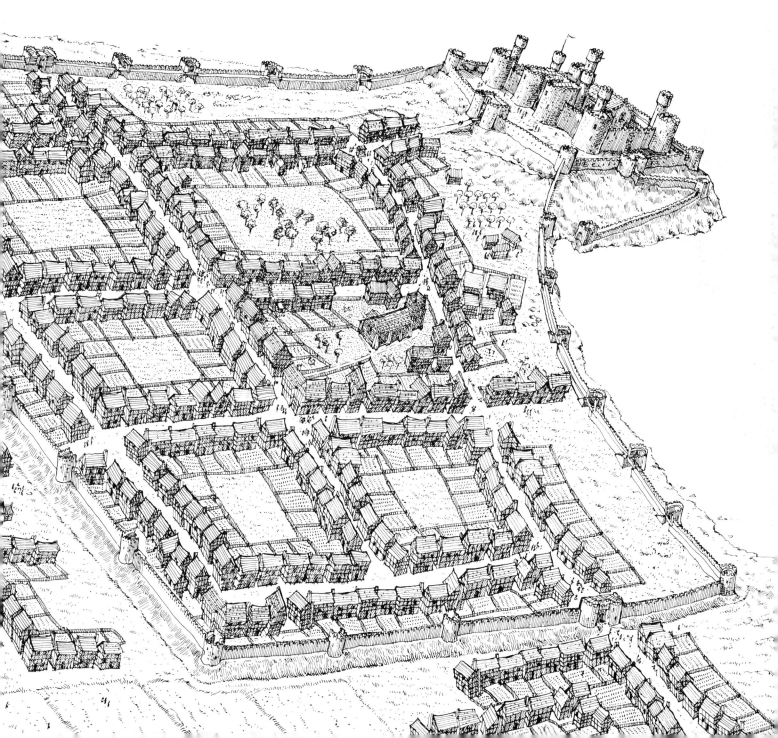

A cette époque-là, le puissant château de Maître Jacques était abandonné et ne servait plus que de carrière pour les nouveaux constructeurs, et l'impressionnante muraille de la ville était devenue plus gênante qu'utile.

GLOSSAIRE

ARCHÈRE
Étroite fente verticale dans une muraille qui permettait à l'archer de tirer depuis l'intérieur.

BASSE-COUR
Espace entre le château et le mur d'enceinte extérieur.

BLOCAGE
Mélange grossier de cailloux et de mortier.

CACHOT
Prison placée en général dans une tour (« oubliette »).

CHEMIN DE RONDE
Espace au sommet des murailles, du haut duquel les soldats pouvaient défendre le château ou la ville.

CONSOLE (CORBEAU)
Pierre laissée en saillie dans un mur.

COUR INTÉRIEURE
Espace découvert au centre du château.

COURTINE EXTÉRIEURE
Mur d'enceinte de la basse cour.

COURTINE INTÉRIEURE
Haute muraille qui entoure la cour intérieure.

CRÉNEAU
Partie basse du parapet.

DOUVE
Profond fossé creusé autour du château pour empêcher le passage depuis l'extérieur; il pouvait être rempli d'eau.

ÉCHAFAUDAGE
Support provisoire en bois placé contre le mur pour les ouvriers et les matériaux.

ÉPI
Mince pierre verticale décorant les merlons.

FERME
Bâti de bois soutenant la toiture de la grande salle.

FONDATION
Construction souterraine qui supporte un mur quand le roc est trop bas.

FOSSE D'AISANCES
Cavité dans un mur où se déversaient une ou plusieurs latrines.

GRANDE SALLE
Salle de la cour intérieure où se réunissaient et mangeaient les habitants du château.

HERSE
Lourde grille de bois qui pouvait s'abaisser ou se lever entre les tours de la porte pour barrer ou laisser le passage.

HOURDS
Balcons de bois provisoires, suspendus au sommet des murailles et des tours avant une bataille, pour lancer projectiles et flèches avec précision en direction de la base des murs.

LATTIS
Treillis fait de tiges et de joncs.

MERLON
Partie haute du parapet.

MORTIER
Mélange de chaux, sable et eau qui sert à lier les pierres.

PALISSADE
Solide clôture de bois entourant le site jusqu'à la construction d'un mur définitif en pierre.

PAN DE BOIS
Type le plus courant de construction médiévale avec murs faits d'une armature de bois bouchée en lattis et torchis.

PARAPET
Mur étroit construit sur le bord externe du chemin de ronde pour protéger les soldats.

PONT-LEVIS
Lourde plate-forme de bois franchissant les douves entre l'extérieur et une porte, et qui pouvait se relever pour bloquer le passage.

PORTE FORTIFIÉE
Ensemble de tours, ponts et barrières qui protégeait l'entrée du château ou de la ville.

POTERNE
Porte latérale ou secondaire du château.

SIÈGE
Tactique militaire consistant à entourer et isoler un château, une ville ou une armée par une autre armée jusqu'à ce que la faim les force à se rendre.

TALUS
Angle formé par le parement externe à la base des murs et des tours.

TORCHIS
Mélange à base de terre ou d'argile appliqué sur un lattis pour le renforcer et en boucher les trous.

TOURELLE
Petite tour de guet surmontant une des tours principales (« échauguette »).

TROU DE BOULIN
Trou laissé à dessein dans un mur pour y encastrer une poutre horizontale.

Loi n° 49-956 du 16 juillet 1949 sur les publications destinées à la jeunesse
Dépôt légal Octobre 1989 – Deux Coqs d'Or éditeur – N° 6.9298.8.89
Imprimé en Italie (5)

G.E.P. Crémone